Sua Santidade, o

Dalai-Lama

PALAVRAS DE SABEDORIA

Sua Santidade, o

Dalai-Lama

Palavras de Sabedoria

Editado por Renuka Singh

SEXTANTE

Título da edição original em inglês: The little book of buddhism
Publicado originalmente por Penguin Books India

Tradução
Maria Luiza Newlands Silveira
e Márcia Cláudia Alves
Preparo de originais
Regina da Veiga Pereira
Revisão
Sérgio Bellinello Soares
Capa
Raul Fernandes
Diagramação
Valéria Facchini de Mendonça
Fotolitos
Mergulhar Serviços Editoriais Ltda.
Impressão e acabamento
Donnelley-Cochrane Gráfica e Editora do Brasil Ltda.

CIP-BRASIL. CATALOGAÇÃO-NA-FONTE
SINDICATO NACIONAL DOS EDITORES DE LIVROS, RJ.

D138p Dalai-Lama, 1935-
Palavras de sabedoria / Sua Santidade, o Dalai-Lama ; compilado e editado por Renuka Singh ; tradução de Maria Luiza Newlands Silveira e Márcia Cláudia Alves. – Rio de Janeiro : Sextante, 2001.

Tradução de: The little book of buddhism
ISBN 85-86796-82-4

1. Budismo – Doutrina. 2. Vida espiritual (Budismo).
I. Singh, Renuka, 1953-. II. Título.

01-0301. CDD 294.34
CDU 294.34

Editora Sextante (GMT Editores Ltda.)
Avenida Nilo Peçanha, 155 – Gr. 301 – Centro
20020-100 – Rio de Janeiro – RJ
Tel.: (21) 524-6760 – Fax: (21) 524-6755
E-mail:atendimento@esextante.com.br
www.esextante.com.br

NOTA DO EDITOR

"Somos os criadores de nossa própria felicidade e do nosso sofrimento, pois todas as coisas têm origem na mente. Sendo assim, precisamos assumir a responsabilidade por tudo aquilo de bom ou de ruim que experimentamos."

Este livro contém a essência do budismo e oferece conselhos para a prática da sabedoria em nossas vidas diárias nas palavras de Sua Santidade, o Dalai-Lama. Seus pensamentos inspiradores ajudam a melhorar nosso estado de espírito e a descobrir uma profunda paz interior.

Renuka Singh

"Minha esperança é que se você, leitor, se sensibilizar com o que está escrito aqui, vai procurar ser compassivo em seu dia-a-dia e, movido pela noção de responsabilidade pelos outros, fará o possível para ajudá-los. Mesmo com pequenos gestos. De acordo com seus próprios recursos e reconhecendo as limitações de suas circunstâncias, você fará o que puder. E se em alguns dias suas ações forem mais compassivas do que em outros, aceite este fato como normal."

Sua Santidade, o Dalai-Lama

A essência de toda vida espiritual é a emoção que existe dentro de você, é a sua atitude para com os outros. Se a sua motivação é pura e sincera, todo o resto vem por si. Você pode desenvolver essa atitude correta para com seus semelhantes baseando-se na bondade, no amor, no respeito e sobretudo na clara percepção da singularidade de cada ser humano.

O poder de cura do espírito segue naturalmente o caminho do espírito. Não reside entre as paredes dos prédios luxuosos, nem no ouro que cobre as imagens, nem na seda com que se modelam as roupas, nem mesmo no papel dos documentos sagrados, mas vive na inefável substância da mente e no coração dos homens. Devemos sublimar os instintos de nosso coração e purificar nossos pensamentos.

Se a pessoa tem uma base espiritual estável, não se deixará dominar pela sedução da tecnologia ou pela insanidade que é o desejo desenfreado de possuir bens materiais. Essa pessoa saberá encontrar o equilíbrio sem querer demais e sabendo valorizar o que já tem.

O perigo constante é abrir a porta para a ganância, um de nossos inimigos mais incansáveis. É aí que se deve pôr em prática o verdadeiro trabalho da mente.

Quando conseguimos criar um ambiente espiritual através de rituais e obediência a certas regras, estes procedimentos têm um poderoso efeito sobre nossas vidas. Se nos falta a dimensão interior necessária para a desejada experiência espiritual, então os ritos tornam-se meras formalidades, artifícios externos. Perdem o sentido e transformam-se claramente em hábitos dispensáveis, servindo apenas como passatempo.

Como um aprendiz espiritual, você deve estar preparado para enfrentar as dificuldades que estão associadas a toda busca espiritual genuína e estar determinado a persistir em seus esforços e sua vontade. Você deve tentar prever os obstáculos que forçosamente encontrará ao longo do caminho e compreender que a chave para a prática bem-sucedida é nunca abandonar sua determinação.

As pessoas deveriam praticar a espiritualidade com a mesma motivação da criança que está absorta brincando. Ela está tão encantada e envolvida com o que está fazendo que nunca fica satisfeita ou cansada. Essa deve ser sua atitude mental quando estiver praticando o darma.

"No início da prática budista, nossa capacidade de servir aos outros é limitada. O nosso objetivo principal, então, deve ser a própria cura, a transformação de nossos corações e mentes. No entanto, à medida que prosseguimos, nós nos tornamos mais fortes e cada vez mais capazes de servir aos outros."

Toda tarefa, por mais nobre que seja, está destinada a enfrentar problemas e obstáculos. É importante avaliar por completo a finalidade a que nos propomos e quais são os fatores que determinam a nossa conduta. É importante que a pessoa seja verdadeira, honesta e sensata. Suas ações devem ser tão boas para os outros quanto para si própria.

O inimigo comum de todas as disciplinas religiosas é o egoísmo da mente. Pois é isso o que causa a ignorância, a cólera e o descontrole, que são a origem de todos os problemas do mundo.

"Se você quer transformar o mundo, experimente primeiro promover o seu aperfeiçoamento pessoal e realizar inovações no seu próprio interior. Essas atitudes se refletirão em mudanças positivas no seu ambiente familiar. Desse ponto em diante, as mudanças se expandirão em proporções cada vez maiores. Tudo o que fazemos produz efeito, causa algum impacto."

Quando você se abrir espiritualmente, faça-o somente para alguém a quem confie do fundo do seu coração, alguém bem próximo de você. Esse tipo de abertura é um passo importante para a superação dos problemas espirituais.

Os problemas que enfrentamos nunca se devem ao fato de começarmos um projeto ou trabalho em um dia ou ocasião inoportunos. Buda sempre falava que as experiências negativas são o resultado de ações negativas. Portanto, para um bom praticante do budismo, não há dias bons ou maus.

Quando você se aprofunda em sua prática espiritual e dá ênfase à sabedoria e à compaixão, aprende a reconhecer o sofrimento de outros seres sensíveis que cruzam o seu caminho e a reagir a esse sofrimento de maneira construtiva, sentindo compaixão profunda em vez de apatia ou impotência.

Ao suportar o sofrimento, não ceda aos sentimentos de vaidade e presunção. Cultivar a sabedoria ajuda-nos a evitar essas armadilhas. Mas é difícil generalizar, porque a coragem e a resistência de cada pessoa são únicas e exclusivas.

Determinação, coragem e autoconfiança são fatores decisivos para o sucesso. Não importa quais sejam os obstáculos e as dificuldades. Se estamos possuídos de uma inabalável determinação, conseguiremos superá-los. Independentemente das circunstâncias, devemos ser sempre humildes, recatados e despidos de orgulho.

A mente pode e deve transformar-se para melhor. Pode livrar-se das impurezas que a contaminam e elevar-se ao nível mais elevado. Todos começamos com as mesmas aptidões, mas algumas pessoas as desenvolvem, outras não. Nós nos acostumamos com facilidade à preguiça da mente, sobretudo porque muitas vezes essa preguiça se esconde sob a aparência de atividade: corremos de um lado para outro, fazemos cálculos e damos telefonemas. No entanto, tudo isso ocupa apenas os níveis mais toscos e elementares da mente. E oculta o que existe de essencial em nós.

Se todos os dias nos analisarmos com cuidado e atenção, verificando nossos pensamentos, nossas motivações e suas manifestações no comportamento externo, abriremos em nosso íntimo uma boa possibilidade de fazer mudanças e efetuar um aprimoramento pessoal. Embora eu próprio não possa afirmar com toda a confiança que tenha feito algum progresso notável no decorrer dos anos, meu desejo e minha determinação de mudar e melhorar são sempre firmes.

Desde o momento em que acordo até a hora de dormir e em todas as situações da minha vida, sempre tento analisar minhas motivações e ser meticuloso e atento a cada momento. Pessoalmente, acho que isto é de grande utilidade para minha vida.

Faça de seu corpo e de seu espírito um laboratório de experiências. Empenhe-se em uma pesquisa profunda a respeito de seu próprio funcionamento espiritual e examine as possibilidades de fazer mudanças positivas no seu interior.

Se uma pessoa tem realmente um profundo interesse em crescer espiritualmente, a prática da meditação é imprescindível, é a chave para isso. Somente orações ou o simples desejo não influenciam de modo significativo a mudança espiritual interior.

A única forma de desenvolvimento é um esforço constante através da meditação. É clarc que, no início, isso não é fácil. Encontram-se dificuldades inesperadas, às vezes há perda de entusiasmo. Ou talvez o entusiasmo inicial seja excessivo e diminua progressivamente com o passar das semanas ou meses. É preciso elaborar uma abordagem persistente, constante, baseada em um compromisso de longo prazo.

Quando a clara e límpida natureza da mente está escondida ou impedida de expressar sua verdadeira essência devido a emoções ou pensamentos angustiantes, diz-se que a pessoa foi pega em samsara, o ciclo da existência.

Quando, porém, em decorrência da aplicação de técnicas e práticas de meditação apropriadas, uma pessoa é capaz de usufruir totalmente desse estado da mente, então ela está no caminho da verdadeira libertação e total iluminação.

Uma das coisas que aprendemos com a meditação, quando descemos lentamente dentro de nós mesmos, é que a noção de paz já existe em nós. Todos a desejamos profundamente, mesmo que esse desejo esteja muitas vezes oculto, disfarçado, distorcido.

A calma duradoura é um estado elevado de consciência em que o corpo e a mente tornam-se especialmente flexíveis, receptivos e prestativos. Uma agudeza de espírito, ou sagacidade especial, também é um estado elevado de consciência no qual a capacidade de análise atingiu um grau imensamente avançado. Portanto, a calma duradoura é absorvedora por natureza, enquanto a sagacidade é analítica por natureza.

"Quando se busca a ausência de atividade mental, há um estágio em que o esforço deve ser abandonado, pois é necessária uma concentração livre de qualquer empenho. A mente torna-se muito calma e chega ao estado de plenitude. Nesse momento, qualquer esforço pode perturbar a pura tranqüilidade. Então, para manter essa tranqüilidade, é preciso esforçar-se para não se esforçar."

Disciplina é um supremo ornamento e, seja usada pelos velhos ou pelos moços, faz nascer apenas felicidade. É perfume por excelência e, ao contrário dos perfumes comuns que só viajam com o vento, seu aroma refrescante viaja espontaneamente em todas as direções. Bálsamo sem igual, proporciona alívio às dores intensas da ilusão e do engano.

A história da vida pessoal de Buda é a história de alguém que atingiu a plena iluminação através de muito trabalho e de uma dedicação inabalável.

"A preguiça interrompe o progresso de nossa prática espiritual. Podemos ser ludibriados por três formas de preguiça: a que se manifesta como indolência, que é o desejo de adiar; a que se manifesta como sentimento de inferioridade, que é duvidar da própria capacidade; e a que se manifesta com a adoção de atitudes negativas, que é dedicar um esforço excessivo àquilo que não é virtude."

Quando um dia parece longo demais, a tagarelice vazia faz com que pareça menor. Mas essa é uma das piores maneiras de empregarmos nosso tempo. Se o alfaiate fica apenas segurando a agulha no ar e passa o dia falando com o cliente, seu trabalho nunca termina. Além disso, corre o risco de espetar o dedo. Em suma, conversas sem sentido nem objetivo impedem-nos de realizar qualquer tipo de trabalho.

Não se deve permitir que a fala e as atividades físicas que acompanham os processos mentais ocorram de forma descontrolada ou aleatória. Da mesma forma que um treinador adestra e amansa um potro selvagem e bravo por meio de um longo e rigoroso treinamento, assim as atividades físicas e os pensamentos imprudentes e sem rumo devem ser disciplinados com o objetivo de torná-los dóceis, justos e capazes.

Comprometer-se com atividades virtuosas é um pouco como criar uma criança pequena. No começo, precisamos ser prudentes e habilidosos em nossas tentativas para transformar nossos hábitos e temperamentos. Também temos de ser realistas a respeito daquilo que esperamos conseguir. Levou muito tempo para ficarmos do jeito que somos e não se mudam hábitos do dia para a noite.

É bom olhar para cima à medida que se progride, mas é um engano julgar nosso comportamento utilizando o ideal como padrão. Por isso, é muito mais eficaz, em vez de alternar breves rompantes de esforço heróico com períodos de relaxamento, trabalhar com constância, como um rio fluindo em direção a um objetivo de transformação.

Faça o melhor que puder e faça-o de acordo com seu padrão interior próprio (ou consciência, se assim preferir), não para o conhecimento e avaliação de seus atos pela sociedade. "Fazer o melhor" é apenas uma frase de poucas palavras, mas significa que, em todas as ocasiões de nossa vida diária, precisamos manter nossa mente sob controle, para mais tarde não nos arrependermos de nossos erros, mesmo que os outros nada saibam a respeito. Agindo assim, estaremos fazendo o melhor.

A felicidade é sempre um resultado da atividade criativa.

A felicidade é um estado de espírito. Se a sua mente ainda estiver num estado de confusão e agitação, os bens materiais não lhe vão proporcionar felicidade. Felicidade significa paz de espírito.

Descobri que o mais alto grau de paz interior decorre da prática do amor e da compaixão. Quanto mais nos importamos com a felicidade de nossos semelhantes, maior o nosso próprio bem-estar. Ao cultivarmos um sentimento profundo e carinhoso pelos outros, passamos automaticamente para um estado de serenidade. Esta é a principal fonte da felicidade.

A compaixão e o amor não são artigos de luxo. Como origem da paz interior e exterior, são fundamentais para a sobrevivência de nossa espécie. Por um lado, são a não-violência em ação. Por outro, são a fonte de todas as qualidades espirituais: a capacidade do perdão, a tolerância e todas as demais virtudes. Além disso, são o que de fato dá sentido às nossas atividades e as torna construtivas.

“A verdadeira compaixão decorre da percepção do sofrimento dos outros. Nós nos sentimos responsáveis e desejamos fazer algo por eles.”

A verdadeira compaixão é uma reação motivada principalmente pela emoção e também um compromisso definitivo apoiado na razão. Assim, uma conduta verdadeiramente misericordiosa para com os outros não se altera nem mesmo quando os outros se comportam mal. É praticando a compaixão sem limites que uma pessoa desenvolve o sentimento de responsabilidade pelos semelhantes, o desejo de ajudá-los a superar de forma eficaz seus sofrimentos.

A compaixão e o amor caridoso são as características principais da realização plena e da felicidade.

Cultivar a intimidade e a proximidade dos outros coloca prontamente o espírito à vontade. É a maior fonte de bem-aventurança na vida.

Eu tento tratar qualquer pessoa que conheço como um velho amigo. Isso me traz uma experiência de genuína felicidade. É a prática da compaixão.

Se você sente uma profunda e intensa compaixão por alguém, isso indica que já existe uma íntima união de você com a outra pessoa.

Está escrito em nossos livros que devemos cultivar um amor igual àquele da mãe pelo filho único.

A compaixão e o amor causam uma sensação de intimidade, mas na realidade são uma forma de apego. Enquanto a outra pessoa lhe parece bonita ou boa, o amor persiste. Tão logo, porém, a pessoa deixa de parecer tão bonita ou boa, o seu amor transforma-se completamente.

A noção budista de apego, de ligação, não é a que se costuma supor no Ocidente. Dizemos que o amor de uma mãe por seu único filho é desapegado.

A verdadeira compaixão é livre de vinculações. É preciso atenção para este princípio, pois ele contradiz nossa maneira habitual de pensar. Não é este ou aquele caso em especial que estimula a nossa piedade. Não escolhemos esta ou aquela pessoa como objeto de nossa compaixão. A compaixão é despertada espontaneamente, é incondicional, sem qualquer expectativa de vir a receber algo em troca. E é de alcance universal.

Muitas pessoas trabalharam duro, sozinhas ou em grupo, para tornar nossa vida mais confortável. O alimento que comemos e as roupas que vestimos não caíram simplesmente do céu. Muitos trabalharam para produzi-los. Por esse motivo, devemos ser gratos a todas as pessoas.

"É durante as fases de maior adversidade que surgem as grandes oportunidades de se fazer o bem a si mesmo e aos outros."

Até mesmo quando estamos ajudando os outros e praticando obras de caridade, não devemos pensar em nós mesmos com altivez, como nobres protetores dos fracos.

Sentir compaixão não é o bastante. É preciso agir. A ação pressupõe dois momentos: o primeiro é quando vencemos as distorções e aflições de nossa própria mente, aplacando ou até mesmo nos livrando da raiva. Esse momento é fruto da compaixão. O segundo é de caráter social, de âmbito público. Quando alguma atitude precisa ser tomada para corrigir erros neste mundo e a pessoa está sinceramente preocupada com seus semelhantes, então tem de se engajar, se envolver.

Um maior grau de tranqüilidade interior é fruto do crescimento do amor e da compaixão.

O sofrimento tem variadas causas e circunstâncias. No entanto, a razão determinante das nossas dores e sofrimentos está em nossa disposição de espírito ignorante e indisciplinada. Somente através da purificação de nossa mente obteremos a almejada felicidade.

"Enfrentar sofrimentos contribuirá indiscutivelmente para a elevação de sua prática espiritual, desde que você seja capaz de transformar a calamidade e o infortúnio em caminho."

Sabendo ouvir sua mente você se voltará para a fé e para a devoção. Você poderá cultivar a alegria em seu íntimo e conseguirá manter o equilíbrio de sua mente.

É através da arte de escutar que seu espírito se enche de fé e devoção e que você se torna capaz de cultivar a alegria interior e o equilíbrio da mente. A arte de escutar lhe permite alcançar sabedoria, superando toda ignorância. Então, é vantajoso dedicar-se a ela, mesmo que isto lhe custe a vida.

A arte de escutar é como uma luz que dissipa a escuridão da ignorância. Se você é capaz de manter sua mente constantemente rica através da arte de escutar, não tem o que temer. Esse tipo de riqueza jamais lhe será tomado. Essa é a maior das riquezas.

Compreendo que o significado de "uma pessoa aberta" seja igual ao de uma "porta aberta": pode ser aberta facilmente, sem problemas. "Livre" quer dizer o mesmo. Uma pessoa livre e aberta, quanto mais absorve novas idéias, mais se entusiasma em passar adiante novas energias. Dessa forma, as pessoas se ajudam mutuamente, o que é muito útil e bastante necessário, especialmente nos dias de hoje.

Se existe amor, há também esperança de existirem verdadeiras famílias, verdadeira fraternidade, verdadeira igualdade e verdadeira paz. Se não há mais amor dentro de você, se você continua a ver os outros como inimigos, não importa o conhecimento ou o nível de instrução que você tenha, não importa o progresso material que alcance, só haverá sofrimento e confusão no cômputo final.

O homem vai continuar enganando e subjugando outros homens, mas insultar ou maltratar os outros é algo sem propósito. O fundamento de toda prática espiritual é o amor. Que vocês o pratiquem bem é meu único pedido.

Estamos todos aqui neste planeta, por assim dizer, como turistas. Nenhum de nós pode morar aqui para sempre. O maior tempo que podemos ficar são aproximadamente cem anos. Sendo assim, enquanto estamos aqui, deveríamos procurar ter um bom coração e fazer de nossas vidas algo de positivo e útil.

Quer vivamos poucos anos ou um século inteiro, seria lamentável e triste passar esse tempo agravando os problemas que afligem as outras pessoas, os animais e o ambiente. O mais importante de tudo é ser uma boa pessoa.

Seria muito mais produtivo se as pessoas procurassem compreender seus pretensos inimigos. Aprender a perdoar é muito mais proveitoso do que simplesmente pegar uma pedra e arremessá-la contra o objeto de sua ira. Quanto maior a provocação, maior a vantagem do perdão.

Cada um de nós tende a ser condescendente consigo mesmo. Olhamos para nós mesmos com benevolência. Se alguma coisa de ruim acontece conosco, sempre temos a propensão de atribuir a culpa aos outros, ao destino, ao diabo ou a Deus. Nós nos recusamos a penetrar em nosso interior, conforme a recomendação de Buda.

Em primeiro lugar, deveríamos avaliar nossa própria atitude para com os outros e verificar constantemente se estamos agindo bem. Antes de apontar o dedo para os outros, devemos apontá-lo para nós mesmos. Em segundo lugar, devemos estar preparados para reconhecer nossos erros e procurar corrigi-los.

"Quando um erro tiver sido cometido, a pessoa pode revelar o ocorrido depois de reconhecer que estava errada – na presença de pessoas sagradas verdadeiras ou imaginárias – e resolver não reincidir no erro. Isso diminui a força da ação negativa."

O aprimoramento da paciência requer a presença de alguém que deliberadamente nos faça mal. Esse tipo de pessoa nos dá a chance de praticarmos a tolerância. A nossa força interior é posta à prova com mais intensidade do que aquela de que o nosso guia espiritual seria capaz. Em essência, o exercício da paciência nos protege da perda da confiança.

O benefício mais importante da paciência consiste em sua ação como um antídoto poderoso ao mal da raiva, a maior ameaça à nossa paz interior e, conseqüentemente, à nossa felicidade. A paciência é o melhor recurso de que dispomos para nos defendermos inteiramente dos efeitos destrutivos da raiva. Pensem bem: a riqueza não protege ninguém da raiva. Nem a educação, por mais talentosa e inteligente que a pessoa seja. A lei, muito menos, pode ser de qualquer ajuda. E a fama é inútil. Só a proteção interior do autocontrole paciente evita que experimentemos o tumulto das emoções e pensamentos negativos.

Quando você está envolvido demais com sentimentos de ódio ou de amor, se há tempo ou possibilidade durante aquele momento exato, tente olhar para dentro de si mesmo e perguntar: "O que é o afeto? O que é o apego? Qual é a natureza da raiva?"

Se sua raiva não for muito grande, o melhor é não evitar situações ou pessoas que lhe causem aborrecimento e o deixem enfurecido. Caso esse contato e exercício de disciplina interior não sejam possíveis, empenhe-se sozinho em lidar com sua raiva e desenvolver a compaixão.

A Bíblia diz que as espadas podem ser transformadas em relhas de arado. É uma linda imagem: uma arma transformada em ferramenta para servir às necessidades humanas fundamentais, representando uma atitude de desarmamento interior e exterior.

"Olhe para a pessoa que lhe causa aborrecimento e tire proveito da oportunidade para controlar a própria ira e desenvolver a compaixão. Entretanto, se o aborrecimento for muito grande ou se você achar a pessoa tão desagradável que seja impossível agüentá-la, talvez seja melhor sair correndo!"

Às vezes, aquele amigo querido, embora continue sendo a mesma pessoa, parece mais um inimigo. Ao invés de amor, você sente hostilidade. Com amor e compaixão verdadeiros, porém, a aparência ou o comportamento do outro nunca lhe provocarão qualquer reação negativa.

Não importa com quem estejamos, sempre pensamos algo parecido com: "Eu sou mais forte do que ele", "Eu sou mais bonita do que ela", "Eu sou mais inteligente", "Eu sou mais rico", "Sou mais qualificado", e assim por diante, o que gera um excesso de orgulho. Não há nada pior. Precisamos, isto sim, praticar a humildade.

Os inimigos externos não são permanentes. Se lhes mostrarmos respeito, eles se tornarão nossos amigos. Mas o inimigo interno é um eterno inimigo a quem nunca devemos ceder.

Esse inimigo mora em nossos corações. Não podemos transformar todos os maus pensamentos em nossos amigos, mas precisamos confrontá-los e controlá-los.

Nosso estado de espírito desempenha papel importante não apenas nos acontecimentos do nosso cotidiano mas na nossa saúde física e espiritual. Se uma pessoa é de temperamento calmo e estável, estas características influenciam a sua opinião e sua conduta em relação ao semelhante. Não tenho a menor dúvida que, se o ser humano mantiver um estado de espírito pacificador e sereno, os acontecimentos externos só lhe poderão causar aborrecimentos sem importância.

Quando somos pacientes, coisas que normalmente consideraríamos muito dolorosas acabam não parecendo tão ruins. Ao contrário, quando não existe a tolerância paciente, até as menores contrariedades parecem insuportáveis. Tudo depende de nossa atitude diante dos fatos.

Se tivéssemos de escolher entre conhecimento e virtude, a última seria sem dúvida a melhor escolha, pois é mais valiosa. O bom coração que é fruto da virtude é por si só um grande benefício para a humanidade. O mero conhecimento, não.

"A constatação de que as pessoas bondosas sofrem e as más experimentam o sucesso e o reconhecimento público é uma visão limitada. Observe-se também que essa conclusão pode ser precipitada. Quando se analisam os fatos com mais profundidade, descobre-se que, definitivamente, as pessoas desajuizadas não são felizes. É preferível comportar-se bem, assumir a responsabilidade pelos próprios atos e levar uma vida positiva."

A meta do budismo é atingir um estado livre de todas as obstruções ao conhecimento e das emoções perturbadoras. É o estado no qual a mente está plenamente evoluída.

Sempre que o budismo se estabelece em uma nova terra verifica-se uma certa variação no estilo em que é seguido. O próprio Buda ensinou de maneiras diferentes de acordo com o lugar, a ocasião e a situação daqueles que o escutavam.

O princípio que caracteriza uma escola como sendo budista é o da aceitação dos quatro dogmas, conhecidos como as Quatro Verdades. São elas: todos os eventos que se compõem de diversas partes são transitórios; todas as coisas e fatos impuros não são satisfatórios; todas as experiências são vazias e isentas de egoísmo; e o nirvana é a verdadeira paz.

"Três qualidades capacitam as pessoas a compreender os ensinamentos: a objetividade, ou seja, ter a mente aberta; a inteligência, que é a faculdade crítica que permite discernir os verdadeiros significados ao examinar os ensinamentos de Buda; e interesse e empenho, ou seja, entusiasmo."

"Maaiana tem quatro pontos de apoio. Primeiro, confiar nos ensinamentos, e não no mestre que os ensina. Segundo: confiar no significado, não nas palavras que o expressam. Terceiro: confiar no significado definitivo, não no provisório. Quarto: confiar na sabedoria transcendente da experiência profunda, não no simples conhecimento."

O mestre é sempre responsável pelo seu próprio mau comportamento. É da responsabilidade do aluno não se deixar atrair por tais atitudes. Quando isso acontece, a culpa é de ambos: do aluno, por ser excessivamente obediente e devotado ao professor; e do mestre, porque lhe falta a necessária integridade para ficar imune àquele tipo de vulnerabilidade.

"Se você conta com alguém que tem menos qualidades que você, isso levará à sua degeneração. Se você conta com alguém com qualidades iguais às suas, você permanece onde está. Somente quando conta com alguém cujas qualidades são superiores às suas é que você atinge uma condição sublime."

O princípio da origem dependente ensina-nos que as coisas e os acontecimentos não existem sem uma causa. Situações de sofrimento ou situações insatisfatórias são motivadas não só pelas nossas próprias desilusões como pelas atitudes equivocadas que tomamos induzidos pela desilusão.

A culpa é um sentimento incompatível com nosso pensamento, pois acreditamos que somos parte de uma ação mas não somos inteiramente responsável por ela. Somos apenas parte do fator que contribuiu para a ação. Entretanto, em alguns casos, devemos sentir arrependimento, deliberadamente assumir responsabilidades, lamentar o ocorrido e nunca cometer aquele erro outra vez.

Se o rancor subconsciente tivesse um paralelo nos escritos budistas, teria a ver com o que é chamado de insatisfação ou infelicidade mental, o que é considerado como a fonte do ódio e da hostilidade. O rancor subconsciente pode ser explicado como uma falta de capacidade de percepção ou como uma interpretação errada da realidade.

“O sentimento de culpa pode ser superado. Para o budismo, esse sentimento não existe. De acordo com a essência de Buda, todos os aspectos negativos podem ser purificados.”

"A fé dissipa a dúvida e a hesitação, liberta-nos do sofrimento e nos conduz à terra da paz e da felicidade."

"A fé diminui o orgulho e é a base da veneração. Com fé, você pode facilmente atravessar de um estágio de conduta espiritual para outro."

"Somente a fé remove a desordem mental e devolve a clareza de espírito."

"Para um bodisatva ser bem-sucedido em alcançar a prática das seis virtudes – generosidade, conduta ética, tolerância, espírito alegre, concentração e sabedoria –, é imensamente importante ajudar aos outros e tratá-los com benevolência."

Os três vícios físicos são matar, roubar e ter comportamento sexual impróprio. Os quatro vícios verbais são a mentira, a tendência para a discórdia, as palavras cruéis e o discurso incoerente. Os três vícios do espírito são a cobiça, as más intenções e os juízos equivocados.

O caminho tem dois aspectos: o aspecto metódico, que engloba as práticas da compaixão e da tolerância, e o aspecto da sabedoria e do conhecimento, relacionado à sagacidade para penetrar na natureza da realidade. A última parte do caminho é o verdadeiro antídoto para eliminar a ignorância.

"Qualquer coisa que contradiga a experiência e a lógica deve ser abandonada."

Apesar de certas pessoas serem altamente inteligentes, são algumas vezes atormentadas pelo ceticismo e pelas dúvidas. São sagazes, mas tendem a ser hesitantes e sempre inquietas. Essas pessoas são as menos receptivas ao darma.

Na ioga tantra, a mais elevada dimensão da prática budista, não há distinção de gênero. Na vida final, em que se atinge o estado máximo do budismo, é indiferente se você é homem ou mulher.

Existe um autêntico movimento feminista no budismo. Depois de atingir bodicita, a deusa Tara olhou para aqueles que se empenhavam para chegar ao pleno despertar e viu que havia poucas mulheres que atingiam o estado superior de Buda. Assim, ela jurou: "Desenvolvi bodicita como mulher. Juro nascer mulher em todas as minhas vidas ao longo do caminho e, na última delas, quando alcançar o estado superior de Buda, também ser mulher."

"Por causa das influências cármicas, o mundo tem uma aparência diferente para diferentes pessoas. Quando um ser humano, um deus e um espírito inquieto – três seres sensíveis – olham para uma tigela com água, os fatores cármicos fazem o ser humano ver água, enquanto o deus vê néctar e o espírito inquieto vê sangue."

Nossas vidas são condicionadas pelo carma e são caracterizadas por sucessivos ciclos de problemas. Um problema começa, termina e logo tem início um outro problema.

Carma é uma palavra sânscrita que significa "ação". Designa uma força ativa, significando que o resultado dos acontecimentos futuros pode ser influenciado por nossas ações. Supor que carma é uma espécie de energia independente que predestina o curso de toda a nossa vida é incorreto. Quem cria o carma? Nós mesmos. O que pensamos, dizemos, fazemos, desejamos e omitimos cria o carma. Não podemos, portanto, sacudir os ombros sempre que nos defrontamos com o sofrimento inevitável. Dizer que todo o infortúnio é mero resultado do carma equivale a dizer que somos totalmente impotentes diante da vida. Se isso fosse verdade, não haveria motivo para se ter qualquer esperança.

Não importa se somos crentes ou agnósticos, se acreditamos em Deus ou no carma, todos podemos nos empenhar pelos princípios morais.

Pela prática verdadeira em sua vida diária, o homem cumpre de fato a meta de toda religião, qualquer que seja ela ou que nome tenha.

"As bênçãos, por si só, não são o bastante. Devem vir de dentro. Sem nosso empenho, é impossível recebê-las."

Todos nós temos a grande responsabilidade de pôr em prática a essência do budismo em nossas vidas.

Uma árvore em flor fica despida no outono. A beleza transforma-se em feiúra, a juventude transforma-se em velhice e o erro transforma-se em virtude. Nada fica sempre igual e nada existe realmente. Portanto, as aparências e o vazio existem simultaneamente.

Não há como escapar da morte. Seria o mesmo que tentar fugir quando se está cercado por quatro grandes montanhas que tocam o céu. Não há como escapar dessas quatro montanhas, que se chamam nascimento, velhice, doença e morte.

O envelhecimento destrói a juventude, a doença destrói a saúde, a degeneração da vida destrói excelentes atributos e a morte destrói a vida. Mesmo que você seja um grande corredor, não poderá correr da morte. Não poderá impedir a chegada da morte com suas riquezas, nem com passes de mágica, nem recitando mantras e nem mesmo com remédios. Portanto, é sensato preparar-se para a morte.

Certas pessoas doces e atraentes, fortes e saudáveis, morrem muito jovens. São mestras do disfarce ensinando-nos sobre a impermanência.

"Nascemos e renascemos muitas e muitas vezes e é possível que cada criatura tenha sido nosso parente em alguma ocasião. Portanto, é possível que todas as criaturas tenham laços familiares entre si."

"Se o seu coração é aberto e sincero, você naturalmente se sente satisfeito e confiante e não tem nenhuma razão para sentir medo dos outros."

As boas qualidades humanas – honestidade, sinceridade e um bom coração – não podem ser compradas com dinheiro e nem produzidas por máquinas ou mesmo pela mente. Nós chamamos isso de luz interior.

“Praticamente todos nós recebemos de nossas mães as lições básicas sobre como viver em paz, pois a necessidade do amor é o próprio fundamento da existência humana. Desde os primeiros estágios de nosso crescimento, somos completamente dependentes dos cuidados maternos e é muito importante que as mães demonstrem seu amor a seus filhos. Se as crianças não recebem a devida atenção, em geral, quando adultas, têm dificuldade de amar seus semelhantes.”

Fale a sua verdade, seja ela qual for, clara e objetivamente, usando um tom de voz tranqüilo e agradável, liberto de qualquer preconceito ou hostilidade. Que o olhar lançado sobre os seus semelhantes esteja repleto de ternura: afinal, é graças as eles que eu vou chegar a Buda.

Faça um esforço para considerar como coisas transitórias todas as circunstâncias adversas e inquietações. Como ondulações na água de um lago, elas surgem e logo desaparecem. À medida que nossas vidas são carmicamente condicionadas, caracterizam-se por infindáveis ciclos de problemas. Um problema aparece e passa e logo em seguida surge outro.

As criaturas que habitam esta terra em que vivemos, sejam elas seres humanos ou animais, estão aqui para contribuir, cada uma com sua maneira peculiar, para a beleza e prosperidade do mundo.

Uno minhas mãos e apelo a você, leitor, para que torne o resto de sua vida tão significativo quanto possível. Faça isso por meio da prática espiritual, se puder. Como espero ter deixado claro, não há nada de misterioso nisso. Consiste apenas em agir levando os outros em consideração. E se você o fizer com sinceridade e persistência, pouco a pouco, passo a passo, será capaz de reordenar seus hábitos e atitudes e pensar menos em seu pequeno mundo de interesses e mais nos interesses de todas as outras pessoas. E encontrará paz e felicidade para si mesmo.

Abandone a inveja, desapegue-se do desejo de sobrepujar os outros. Em vez disso, tente fazer bem a eles. Com bondade e gentileza, com coragem e confiando que é assim que terá sucesso de fato, receba-os com um sorriso. Seja franco e honesto. E tente ser imparcial. Trate todos como se fossem amigos muito próximos.

Não digo isso como Dalai-Lama ou como alguém que tenha poderes ou talentos especiais. Não os tenho. Falo como um ser humano, alguém que, como você, quer ser feliz e não sofrer.

Títulos de Sua Santidade, o Dalai-Lama publicados pela Editora Sextante

Minha Terra e Meu Povo

A autobiografia de Sua Santidade, o Dalai-Lama
(lançamento em maio de 2001)

O Caminho da Tranqüilidade

"Este livro inclui citações cotidianas selecionadas de meus próprios escritos e de trabalhos de minha autoria já publicados. Com toda a humildade, rezo para que os leitores possam encontrar nestas palavras alguma inspiração para desenvolver aquela generosa paz de espírito que é a chave da felicidade duradoura."

Sua Santidade, o Dalai-Lama

Uma Ética para o Novo Milênio

"Quanto mais coisas vejo no mundo, mais claro fica para mim que, sejamos ricos ou pobres, todos desejamos ser felizes e evitar os sofrimentos.

Constato que, de modo geral, as pessoas cuja conduta é eticamente positiva são mais felizes e satisfeitas do que aquelas que se descuidam da ética. Tentarei mostrar neste livro o que quero dizer com a expressão 'conduta ética positiva'.

Uma revolução se faz necessária, mas não uma revolução política, ou econômica. O que proponho é uma revolução espiritual.

Ao propor uma revolução espiritual, estaria eu afinal defendendo uma solução religiosa para nossos problemas? Não. Cheguei à conclusão de não importa muito se uma pessoa tem ou não uma crença religiosa. Muito mais importante é que seja uma boa pessoa."

Sua Santidade, o Dalai-Lama

Outros títulos de nosso catálogo

De Jack Canfield, Mark Victor Hansen
e Heather McNamara:

Histórias para Aquecer o Coração

50 histórias de vida, amor e sabedoria

Um dos maiores fenômenos editoriais dos últimos tempos, com mais de 60 milhões de livros vendidos no mundo inteiro, *Histórias para Aquecer o Coração* é o primeiro título da premiada coleção que tem inspirado leitores de todas as idades.

Cada uma das histórias deste livro contém algum significado especial. Elas nos falam do extraordinário poder de superação que tem a vida, da força com que ela nos impele para enfrentar desafios e ultrapassar dificuldades.

Elas alegram, comovem, reacendem a esperança e estimulam o desejo de empenhar-se para amar e viver plenamente. São histórias que fazem bem à alma e aquecem o coração.

De Leonardo Boff

– *Espiritualidade:* Um Caminho de Transformação
– *Tempo de Transcendência*
– *A Oração de São Francisco*

De Louise Hay

– *Meditações para a Saúde do Corpo e da Mente*
– *Meditações para a Manhã e para a Noite*

De Epicteto e Sharon Lebell

– *A Arte de Viver* – O manual clássico da virtude, felicidade e eficácia

De Bradley Trevor Greive

– *Um Dia "Daqueles"* – Uma lição de vida para levantar o seu astral

De Daniel Goleman

– *A Arte da Meditação* (inclui CD de meditação)

De Salle Redfield

– *Descobrindo a Alegria de Viver* – Um guia de meditação
– *Meditações Celestinas*

Do Dr. Brian Weiss

– *Meditando com Brian Weiss* (inclui CD de meditação)
– *A Divina Sabedoria dos Mestres*

De David Kundtz

– *A Essencial Arte de Parar*

De James Van Praagh

– *A Força da Vida*
– *Em Busca da Espiritualidade*

De Mitch Albom

– *A Última Grande Lição* – O sentido da vida

De Lawrence Katz

– *Mantenha o Seu Cérebro Vivo*

De Tom Shroder

– *Almas Antigas* – As evidências científicas da reencarnação

De Domenico De Masi

– *O Ócio Criativo*
– *A Economia do Ócio*

Informações sobre os próximos lançamentos

Para receber informações sobre os próximos lançamentos da Editora Sextante, queira entrar em contato com nossa Central de Atendimento, dando seu nome, endereço e telefone para:

Editora Sextante
Av. Nilo Peçanha, 155 – Gr. 301 – Centro
20020-100 – Rio de Janeiro – RJ
Tel.: (21) 524-6760 – Fax: (21) 524-6755
DDG: 0800-22-6306 (ligação gratuita)
E-mail: atendimento@esextante.com.br

Para saber mais sobre nossos títulos e autores, e enviar seus comentários sobre este livro, visite o nosso site:

www.esextante.com.br